Les gènes, ce qu'on ne sait pas encore...

À qui je ressemble ?

Chapitre 1

Crapaud et Prince charmant ont des gènes différents…

Toi, tes copains,
Le chat, le chien,
comme les dauphins,
chacun a les siens.
Le crapaud, le prince charmant,
les éléphants, les fleurs des champs,
En ont tous des différents.
Qu'ils héritent de leurs ascendants...
on ne connaît pas encore toutes leurs actions,
Et on se pose aussi énormément de questions
Sur le pourquoi du comment de leur transmission.

Gènes certifiés
100%
Prince charmant

Toi, tes copains, comme tous les enfants, vous avez reçu de vos parents un lot de gènes différents. La moitié vient du papa, la moitié de la maman. Dans le ventre de maman, ils s'assemblent, on ne sait pas encore très bien comment, pour fabriquer un individu qui leur ressemble, mais n'est à nul autre pareil. Grâce au brassage des gènes, cet être est unique, sauf s'il a un vrai jumeau.

Le chat, le chien, et tous les êtres vivants, héritent de gènes de leurs ascendants, qui leur donnent des yeux bleus, marron ou verts et toutes sortes de caractères, les uns visibles comme le nez au milieu de la figure, d'autres cachés qui ne sont pas encore tous identifiés.

comme les dauphins auxquels les gènes donnent un front bombé avec un « melon », contenant un système respiratoire, qui leur permet de vivre sous l'eau et de prendre l'air de temps en temps...

chacun a les siens, ceux de son espèce. Si tous les individus de la même famille sont différents, c'est que les gènes du père et de la mère s'assemblent au hasard, et aussi que certains gènes subissent des modifications, que l'on appelle des mutations. Si les chats ne font pas des chiens, c'est à cause de leurs gènes spécifiques, qui, en se combinant pour fabriquer des chatons, permettent d'en avoir dans une même portée, des noirs, des roux et des tigrés...

Le crapaud, le Prince charmant n'ont pas les mêmes gènes, et ça se voit sur-le-champ. L'un court sur pattes, la peau rugueuse couverte de pustules avec des yeux globuleux sortant de la tête et sans dents, ne plaît pas aux enfants. Tandis que l'autre, beau comme un conte de fées, les fait rêver...

Les éléphants, les fleurs des champs ont leurs gènes, assurément... Les gènes des uns font parfois le malheur des autres. Par exemple, des petits microbes méchants transmettent des mauvaises maladies aux énormes éléphants, qui, face à eux, ne font pas le poids. Il y en a même des très virulents qui peuvent tuer des troupeaux entiers...

Plantes, animaux, petits et grands **en ont tous des différents,** mais chaque individu a les mêmes gènes dans toutes ses cellules. Une combinaison unique et identique, aussi bien dans la peau que dans les cheveux, les muscles ou la matière grise du cerveau. Si les cellules sont différentes les unes des autres alors qu'elles possèdent les mêmes gènes, c'est que dans chaque type cellulaire existent des gènes qui dorment et d'autres qui travaillent, et ce ne sont pas les mêmes dans les différentes sortes de cellules. En effectuant des tests, même sur une petite goutte de sang, on peut reconnaître un petit enfant...

Un patrimoine génétique **qu'ils héritent de leurs ascendants** et qu'ils transmettent au petit bonheur la chance à leurs descendants. C'est tout un programme inscrit à la naissance dans chacune des cellules du corps, mais qui ne se réalise qu'en fonction de l'environnement, de l'éducation et d'autres facteurs qu'on ne connaît pas encore...

On ne connaît pas encore toutes leurs actions.
Chaque gène agit seul ou à plusieurs...

Et on se pose aussi énormément de questions
sur leur influence sur nos organismes et la participation des uns et des autres dans le déclenchement de certaines maladies...

On s'interroge **sur le pourquoi du comment de leur transmission.** Elle se fait de génération en génération, avec de légères modifications qui finissent par créer une grande diversité au cours de l'évolution... Les gènes, en se transformant légèrement – on dit qu'ils mutent - nous ont permis d'être non seulement tous différents, mais aussi de nous adapter à tous les environnements. Les poissons dans les mers et les rivières, les oiseaux dans les airs, et les mammifères sur Terre, mais aussi les colchiques qui fleurissent dans les prés, les arbres dans les forêts, chacun à la naissance reçoit les siens, qui ne sont pas tout à fait les mêmes que ceux de son voisin, et lui permettent de vivre dans son milieu...

Axel Kahn si la feuille d'un chêne ne ressemble pas à ma main ou à la patte d'un chat, c'est à cause des gènes, qui ne donnent pas les mêmes formes ni les mêmes tissus suivant les espèces... Depuis l'apparition de la toute première cellule il y a 3,8 milliards d'années, la vie n'a cessé d'évoluer, on ne sait pas encore comment. Et plus nous avançons, plus nous soulevons de questions. Tu trouveras dans ce livre, celles auxquelles se heurtent les biologistes d'aujourd'hui, mais quand tu seras grand tu en découvriras certainement de nouvelles. Médecin-généticien, j'ai essayé, dans mon laboratoire, de résoudre certains problèmes d'héritage génétique et je souhaite te transmettre, au fil des pages, un peu de mon goût pour la science. Que tu sois chercheur ou simple amateur plus tard, tu voudras certainement toi aussi comprendre les mécanismes qui ont conduit à la diversité du monde vivant.

Chapitre 2

Hasard ou nécessité, nous n'arrêtons pas d'évoluer…

Pourquoi les êtres vivants
Sont-ils tous différents ?
Qu'est-ce qui a donné des ailes aux oiseaux,
Quatre pattes et deux bosses aux chameaux ?
Aux pieuvres pas moins de huit bras
Alors que les serpents n'en ont pas.
Qu'est-ce qui les a contraints à évoluer ?
Comment ont-ils réussi à changer ?
Quelle est l'origine de ce joli bazar :
Un mécanisme inconnu ou le hasard ?

Pourquoi les êtres vivants ont-ils évolué à leur façon, on peut sérieusement se poser des questions quand on voit les nombreuses formes de vie sur notre planète.

Les êtres vivants **sont-ils tous différents** à cause des rayonnements cosmiques tombés du ciel, des ultraviolets du soleil et d'autres radiations qui ont provoqué des « mutations » de leurs gènes ? Autrement dit, de minuscules changements à l'intérieur de leurs cellules qui se sont traduits par d'énormes transformations physiques au cours de l'évolution ?

Qu'est-ce qui a donné des ailes aux oiseaux ?

Quelle chance de pouvoir s'élever dans les airs, mais tous les animaux n'ont pas ce don. Même les autruches et les manchots ne volent pas... On pense que tous les volatiles ont des ancêtres reptiles, dont les gènes ont subi au fil du temps des modifications. Leurs écailles se sont lentement transformées en plumes, et deux de leurs pattes sont devenues des ailes. Ces transformations ont eu lieu sur des millions d'années...

Quatre pattes et deux bosses aux chameaux,

c'est un cadeau de la nature qui leur permet d'affronter des conditions de vie difficiles. Ils stockent des réserves de graisse sur leur dos. Parfaitement adaptés à la sécheresse du désert, les chameaux peuvent parcourir des kilomètres sans boire une goutte d'eau, mais courent moins vite que leurs cousins dromadaires qui n'ont qu'une seule bosse là-haut.

Aux pieuvres pas moins de huit bras qui, même si on les coupe, continuent à bouger. Les octopodes, comme on les appelle, ont un grand cœur ainsi qu'un ou deux plus petits, mais aussi la capacité de changer à volonté de couleurs, un bec semblable à celui du perroquet et une intelligence qui ne cesse d'étonner...

Les gènes « beau plumage » et « constitution robuste » colportés de génération en génération se sont répandus dans les populations mâles. C'est ainsi que les faisans ont acquis des plumes somptueuses et les paons de magnifiques queues pour faire la roue devant les femelles, qui, pour couver en paix, avaient intérêt, elles, à rester discrètes. Mais la distribution des petits avantages permettant aux êtres vivants de s'adapter à pratiquement tous les milieux, à toutes les situations, est-elle due au seul hasard ou des mécanismes encore inconnus interviennent-ils aussi ? On ne peut pas trancher, tout ce que l'on sait, c'est que ceux qui n'arrivent pas à s'adapter à leur environnement par le biais de « mutations » avantageuses sont éliminés. C'est la loi de la « sélection naturelle »....

Chapitre 3

Ne ris pas, le riz a plus de gènes que toi !

On croyait que les gènes intervenaient partout,
on imaginait qu'ils offraient de nombreux atouts,
on les accusait aussi, et surtout, d'être coupables de tout.
On imaginait qu'en passant les gènes au peigne fin,
on connaîtrait les qualités et les défauts de chacun.
On pensait en avoir beaucoup plus de cent mille,
on croyait, en les décodant, taper dans le mille,
on croyait qu'en mettant les gènes des uns et des autres à plat,
on saurait tout sur toi, ta sœur, ton frère, ta maman, ton papa.
Mais aussi sur les bactéries, rats, souris, vaches, chiens, chats.
Et pour finir, ce qu'on sait, c'est qu'on ne sait pas !

On croyait que les gènes intervenaient partout et que nous leur devions, non seulement la couleur de nos yeux et de nos cheveux, la forme de nos oreilles et de nos orteils, la place du nez au milieu de la figure et des pieds au bout des jambes, mais aussi des choses essentielles qui ne se voient pas. Comme par exemple, le don pour la musique, la bosse des maths ou la possibilité d'attraper certaines maladies et pas les autres.

On imaginait qu'ils offraient de nombreux atouts,
en donnant à certains individus des caractères appréciés dans son espèce. Rapidité héréditaire pour le dromadaire, endurance pour le chameau, douceur de la peau pour l'humain câlin, oreille absolue pour le musicien et résistance aux virus pour tout le monde...

On les accusait aussi, et surtout, d'être coupables de tout,
et c'est vrai qu'ils ont une lourde part de responsabilité dans les malformations ou des maladies de naissance aussi embêtantes que l'hémophilie qui fait qu'à la moindre blessure le sang n'arrête pas de couler... On les soupçonne de provoquer l'obésité, les crises cardiaques ou la dépression nerveuse.

On imaginait qu'en passant les gènes au peigne fin
on réussirait à départager leurs rôles et que l'on finirait par savoir lesquels font quoi, quand, comment, à qui...

On connaîtrait les qualités, les défauts de chacun,
les deux faisant partie du patrimoine héréditaire dont les gènes sont transmis dans les familles de génération en génération, avec de légères modifications. Les biologistes s'imaginaient qu'en procédant à des contrôles génétiques, ils pourraient tout savoir sur quelqu'un...

on pensait en avoir beaucoup plus de cent mille... mais, en cherchant bien, les généticiens ont vu que nous en avions beaucoup moins. Nous avons à peu près vingt-trois mille gènes, soit à peine cinq fois plus que certaines minuscules bactéries, le double d'une mouche et, surprise, les nôtres sont presque pareils que ceux du chimpanzé...

on croyait, en les décodant, taper dans le mille, c'est pourquoi les scientifiques avaient lancé au milieu des années 1990 un vaste programme international de décryptage appelé « le projet génome humain ».

on croyait qu'en mettant les gènes des uns et des autres à plat on pourrait faire des diagnostics précis et adapter les traitements en cas de maladie...

on saurait tout sur toi, ta sœur, ton frère, ta maman, ton papa, mais chaque individu a des gènes différents, et, finalement, la vie se révèle encore beaucoup plus compliquée que ce que les biologistes pensaient...

Mais aussi sur les bactéries, rats, souris, vaches, chiens, chats qui ont été, comme les humains, l'objet d'analyses génétiques poussées. Les interprétations des résultats ne sont pas simples. Le petit minet a autant de gènes que nous, et il peut souffrir de pas moins de deux cents maladies, proches des nôtres...

Et pour finir, ce qu'on sait, c'est qu'on ne sait pas, en tout cas pas tout ! Et il reste encore beaucoup de travail à faire pour résoudre le mystère de la vie sur Terre...

Axel Kahn

On ne sait pas encore ce que font exactement les gènes. Les progrès ont été beaucoup plus lents qu'on ne l'imaginait. Même parmi les gènes dont on a reconnu qu'ils jouaient un rôle dans l'apparition des maladies, on n'arrive pas toujours à déterminer avec précision leur part de responsabilité individuelle. Ces gènes coupables ne rendent malade que si l'environnement s'y prête. Or, pour prévenir ou guérir, il est indispensable de comprendre le rôle de chacun et comment ils interagissent entre eux mais aussi avec l'environnement. Indispensable aussi de savoir ce qu'on peut leur attribuer et ce qui est lié à l'alimentation, à l'exposition à des produits chimiques ou à d'autres facteurs extérieurs, au mode de vie, etc.

Chapitre 4

On se demande encore si Lamarck avait complètement tort

« Lamarck », retiens bien ce nom,
c'est un savant de grand renom.
Pour lui, les bêtes qui modifiaient leur corps
au cours de leur vie
pouvaient transmettre ces transformations acquises
à leurs petits.

C'est ainsi que les girafes auraient hérité
de leur interminable cou,
à force de l'étirer pour brouter les branches
du haut, tout au bout.

Il a inventé le mot « biologie »,
Mais il ne s'est pas fait que des amis.
Quand les gènes ont été découverts plus tard,
son « transformisme » a été mis au placard.
Mais aujourd'hui on se pose à nouveau la question :
Le naturaliste français n'avait-il pas un peu raison ?

Lamarck, retiens bien ce nom,
c'est un Français connu dans le monde entier. Quand il était petit, Jean-Baptiste Lamarck voulait être soldat, mais après une courte carrière militaire, il a étudié la médecine. Il s'est d'abord passionné pour les plantes et il a constitué un grand herbier rassemblant plus de dix-neuf mille spécimens récoltés un peu partout sur la planète. Puis, à cinquante ans, il est devenu « professeur d'histoire naturelle des insectes et des vers » au Jardin du roi à Paris, rebaptisé plus tard « Jardin des plantes ».

C'est un savant de grand renom.
Voilà plus de deux cents ans, il a été le premier à avoir l'idée de l'évolution. À son époque, on ne connaissait pas les gènes. Mais en procédant, au Jardin du roi, à des classifications, il a vu que les plantes et les animaux subissaient des petites transformations. Il a noté des petites différences à l'intérieur d'une même espèce au fil du temps et il en a conclu que les individus s'adaptent physiquement à leur environnement.

Pour lui, les bêtes qui modifiaient leur corps au cours de leur vie,
en effectuant des efforts pour chercher leur nourriture dans un territoire inconnu ou sous un nouveau climat, se changeaient durablement. Les bénéfices gagnés pendant l'existence étaient offerts à la naissance aux générations suivantes, qui savaient en faire bon usage.

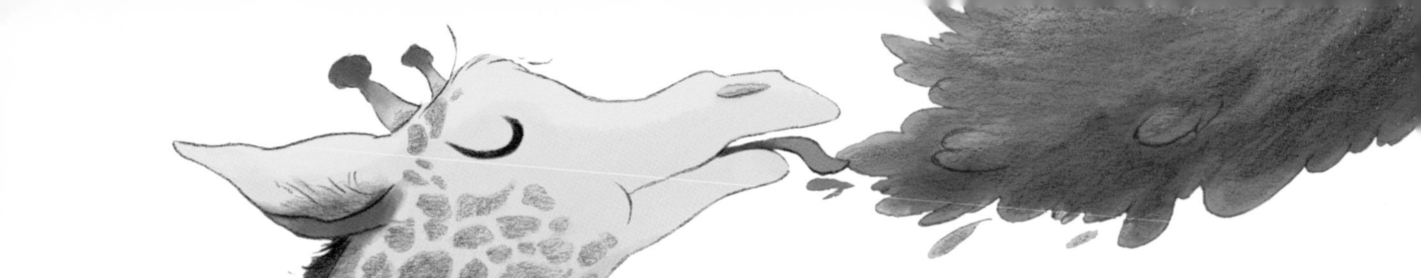

Les animaux **pouvaient transmettre les transformations acquises à leurs petits.** Les bonus se transféraient de génération en génération. À l'inverse, lorsqu'un organe n'était pas utilisé, les petits naissaient sans lui. Les taupes, par exemple, qui n'avaient pas l'occasion de se servir de leurs yeux dans leurs galeries avaient fini par devenir aveugles. On a appelé sa théorie le « transformisme ».

C'est ainsi que les girafes auraient hérité de leur interminable cou. Elles l'auraient allongé en voulant manger, à longueur d'année, des feuilles au sommet des arbres.

À force de l'étirer pour brouter les branches en haut, tout au bout, leurs bébés se sont retrouvés dotés d'un très long cou. D'autres espèces, en aiguisant leurs dents sur des viandes coriaces, ont eu des petits aux quenottes pointues...

Il a inventé le mot « biologie » pour désigner la science des êtres vivants. Jean-Baptiste Lamarck est le père fondateur de cette science qui étudie les plantes et les animaux. Seul contre tous, il a défendu ses positions révolutionnaires.

Mais il ne s'est pas fait que des amis, en racontant, à sa façon, la longue marche de l'évolution. En son temps, personne ne voulait croire à la transformation « graduelle » des espèces qui, d'après Lamarck, devenaient de plus en plus compliquées à mesure que la vie se développait sur notre planète. « Mais alors pourquoi une femme amputée à la suite d'un accident pouvait avoir des enfants qui avaient les deux bras et les deux jambes ? » demandaient ses adversaires.

Quand les gènes ont été découverts plus tard,
son idée de l'évolution a été remise en question.
On ne voyait pas comment les accidents de la vie pouvaient s'inscrire définitivement dans le programme génétique, enfermé à l'intérieur des cellules.

Son « transformisme » a été mis au placard,
les généticiens modernes le considéraient avec mépris, comme une fausse théorie. Ils ne voyaient pas comment les changements acquis se transmettaient aux enfants.

Mais aujourd'hui on se pose à nouveau la question, en observant des cas où l'environnement agit sur les gènes.

La naturaliste français n'avait-il pas un peu raison ?

Les biologistes se demandent maintenant si en transmettant des modifications, liées à l'environnement, les organismes n'auraient pas subi des transformations.

On sait aujourd'hui que l'environnement modifie les gènes. L'écrin dans lequel ils sont enfermés peut être altéré, et le diamant est alors moins brillant. Suivant le milieu, certains gènes sont endormis, d'autres réveillés. Les souris qui ont subi un stress, par exemple, ont des bébés plus petits qui, quand ils deviennent grands, sont non seulement aussi stressés que leurs parents mais, surtout, transmettent ce comportement stressé à leurs propres enfants et petits-enfants. Après la dernière guerre, de nombreuses futures mamans ont mangé de manière insuffisante pendant leur grossesse : leurs bébés étaient de petite taille et de faible poids. Non seulement ces enfants devenus adultes ont souvent développé des maladies, diabète et hypertension artérielle en particulier, mais ils ont eux-mêmes parfois transmis cette susceptibilité à certains de leurs propres enfants. Non, la girafe n'a pas eu une arrière-grand-mère qui, en voulant attraper des pousses en haut des arbres, à force de se déhancher, lui a légué un long cou. Mais Lamarck n'avait peut-être pas complètement tort : l'hérédité des caractères acquis peut avoir un petit rôle dans l'évolution, reste encore à savoir lequel.

Chapitre 5

Chante, chante, pinson, Darwin n'a pas toujours raison !

Lamarck n'avait peut-être pas complètement tort,
Mais les biologistes ne sont pas tous d'accord.
Charles Darwin et ses disciples ont-ils en tout point raison ?
Ils comptent sur le seul hasard, dans leur théorie de l'évolution,
Pour expliquer l'origine des espèces, des plantes et des bêtes,
Qui poussent, nagent, courent, rampent sur notre planète.
comme le guépard ou la gazelle,
Tous ont subi la sélection naturelle.
certains ont survécu sans bouger d'un poil,
D'autres encore ont définitivement mis les voiles.
on ne comprend toujours pas bien pourquoi…

Lamarck n'avait peut-être pas complètement tort, comme tu l'as lu dans le précédent chapitre, mais c'est à l'Anglais Charles Darwin que l'on doit la théorie générale de l'évolution. À l'époque de Darwin, on ne connaissait pas les gènes, mais le grand naturaliste avait remarqué que les oiseaux de l'archipel des Galapagos, qui avaient quitté leur groupe d'origine pour aller vivre sur une des îles, finissaient par ne plus ressembler à leurs parents éloignés.

Chapitre 6
L'agent secret

on imaginait savoir ce qu'est un gène,
on se disait : « Le gène est un morceau d'ADN ».
on pensait qu'en se donnant un peu de peine
on saurait de quoi se compose
cet insaisissable «quelque chose »
capable de transmettre un caractère de l'un des parents,
couleur des yeux, forme du nez, implantation des dents,
Mais aussi d'apporter au berceau une maladie à l'enfant.
on le traquait pour connaître toutes les « informations »,
Que cet « agent secret » fournissait de génération en génération.
Mais aujourd'hui on s'interroge.

Depuis le temps, **on imaginait savoir ce qu'est un gène.** Le moine Gregor Mendel a été le premier à noter, en 1850, qu'en croisant des pois à peau lisse avec des pois à peau fripée il obtenait une première génération entièrement lisse, et une seconde mélangée, avec les uns aussi polis que les parents, et les autres ridés comme les grands-parents. Si certains avaient hérité de la peau plissée du papy pois, c'est que, sous des dehors polis, papa et maman pois cachaient un caractère « ridé » qu'un « agent

Chapitre 7
Mais au fait... c'est quoi, un gène ?

On ne connaît pas encore le rôle de tous les gènes,
Ni leur nombre exact, ni leur place précise sur la double hélice d'ADN.
Combien sont-ils dans chaque cellule humaine ?
Plus perturbant : la définition du gène
en 2014, paraît moins claire qu'avant.
Les chercheurs s'intéressent maintenant
Aux 98 % d'ADN considérés jusqu'ici comme des acteurs de second plan.
Cet ADN, vu comme « muet », avait été longtemps pris pour un figurant.
On parlait d'« ADN poubelle » qui ne servait à rien en apparence…
On sait aujourd'hui que cette majorité silencieuse exerce une influence.
Non seulement il a joué un rôle important au cours de l'évolution,
Mais il intervient dans le travail des gènes, ce qu'on appelle leur « expression ».
À toi de jouer et de chercher quand tu seras grand,
Pour découvrir ce que ne connaissaient pas tes parents.

Pour découvrir ce que ne connaissaient pas tes parents, il faut t'armer de patience. Tu viens de voir quelques problèmes auxquels se heurtent les chercheurs en biologie. D'ici à ce que tu sois grand, la génétique aura certainement fait des progrès, et il y aura de nouvelles questions qui se poseront, mais aussi... qui sait... quelques réponses surprenantes.

Axel Kahn

Seulement 2 % de notre patrimoine héréditaire sont constitués de gènes qui correspondent à des caractères. On ignore à quoi servent les 98 % restants, mais s'ils sont là, on imagine qu'ils sont là pour quelque chose. On est même très loin de savoir comment les gènes utiles contrôlent les caractères des personnes. La taille, par exemple, se transmet généralement, et on ne sait pas vraiment comment. Pour certaines maladies, les gènes responsables ont été identifiés, mais on n'arrive pas encore à les rectifier pour guérir les personnes qui, au berceau, ont hérité de pathologies. Par exemple, de l'hémophilie ou, comme moi, du daltonisme qui m'empêche de bien voir la couleur rouge. Et puis il y a les mystérieux prions qui déclenchent la tremblante du mouton, la maladie de la vache folle ou, chez les hommes, la maladie de Creutzfeldt-Jakob et le kuru dans les peuplades de Nouvelle-Guinée. Nous ne savons pas grand-chose d'eux, sauf qu'ils s'attaquent au cerveau et nous devrons bien comprendre comment...

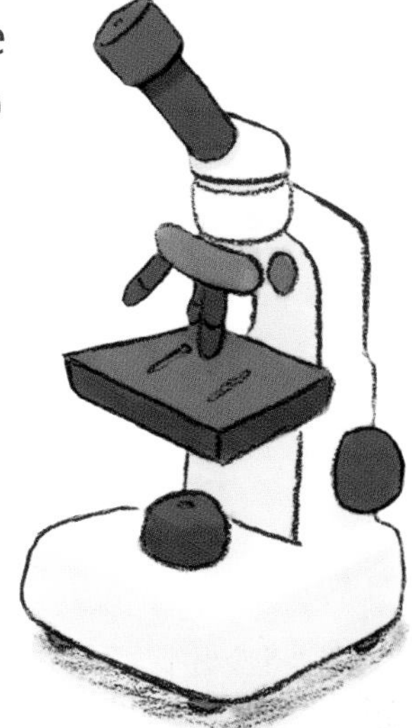

La pâte à papier utilisée pour la fabrication
du papier de cet ouvrage provient
de forêts certifiées et gérées durablement.
Imprimé en France par Loire Offset Titoulet à Saint-Étienne
N° d'imprimeur : 201404.1204 - Dépôt légal : mai 2014
N° d'édition : 74650731-01